C'EST MOI L'ESPION

L'ESPION

DES BALLONS

À oncle Chris, avec mes remerciements à Dave
—J.M.

À Edward Helt
—W.W.

Catalogage avant publication de Bibliothèque et Archives Canada

Marzollo, Jean

Des ballons / Jean Marzollo, auteure ; Walter Wick, photographe ;
Hélène Pilotto, traductrice.

(C'est moi l'espion)
Traduction de: I spy a balloon.
Pour les 4 à 6 ans.
ISBN 978-1-4431-1846-0

1. Casse-tête--Ouvrages pour la jeunesse. 2. Livres-jeux.
I. Wick, Walter II. Titre. III. Collection: C'est moi l'espion

GV1507.P47M36614 2012   j793.73   C2011-907729-9

Édition publiée par les Éditions Scholastic, 604, rue King Ouest,
Toronto (Ontario) M5V 1E1

5 4 3 2 1   Imprimé au Canada 119   12 13 14 15 16

C'EST MOI L'ESPION

DES BALLONS

Texte de Jean Marzollo
Photographies de Walter Wick

Texte français d'Hélène Pilotto

Éditions
■SCHOLASTIC

Je cherche

un œuf,

 une bille,

un 2 renversé,

 un clown en bois

et un cube avec la lettre G.

Je cherche

un bateau,

 une balle multicolore,

un petit chat,

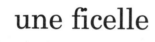 une ficelle

et une ombrelle
d'autrefois.

Je cherche

une planche
à roulettes,

 un cube avec un L,

le mot
SCIENCE,

 une fourchette,

un ballon

 et une clochette.

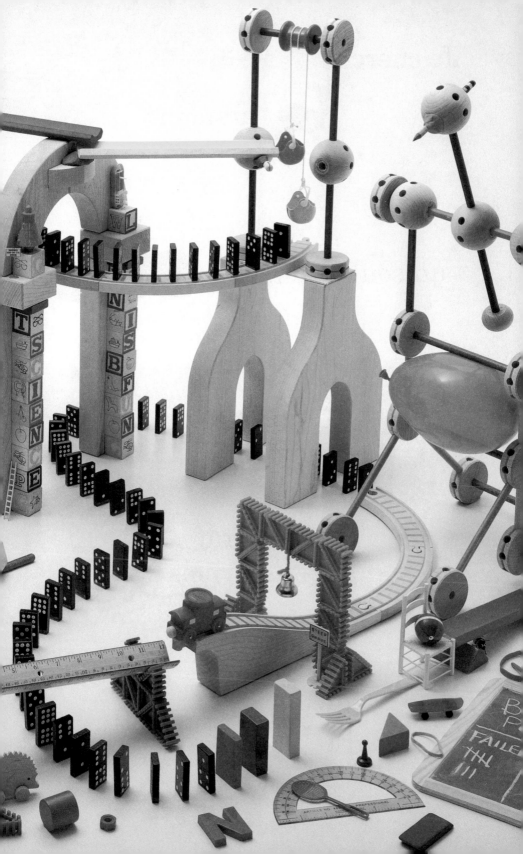

Je cherche  un faon,

un soulier en cuir,

 une petite girafe tachetée,

un rat sournois

 et un squelette près du foyer.

Je cherche

un éléphant,

 un clown souriant,

un élastique

et une mariée vêtue
de blanc.

Je cherche

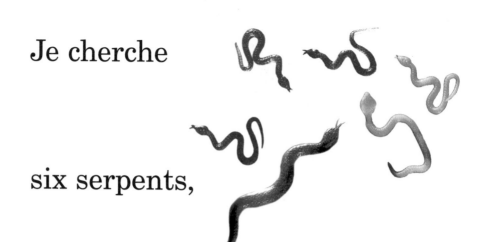

six serpents,

la queue d'un
scorpion,

la langue
d'un lézard

et un colimaçon.

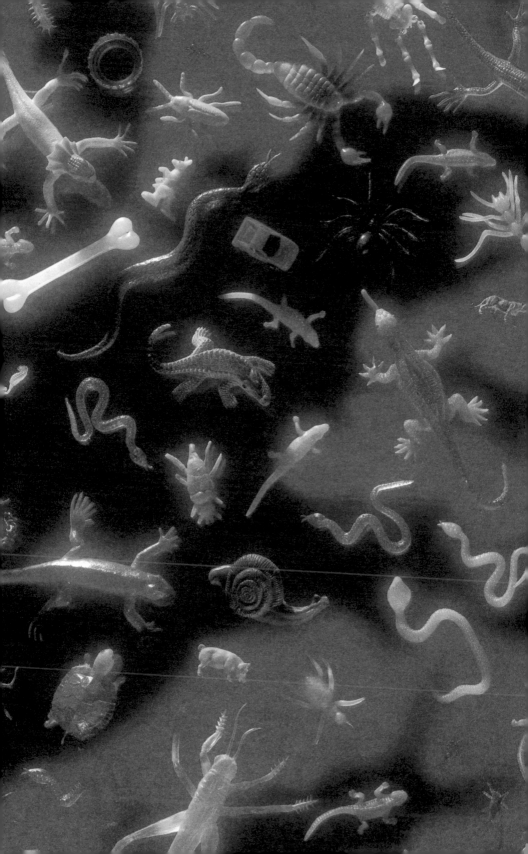

Je cherche

un avion,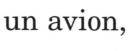

une pelle,

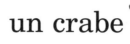

trois ressorts
différents,

 un cadenas,

un crabe

 et un chérubin volant.

Je cherche

une brosse,

 une ballerine,

une vilaine
araignée,

 une petite
balle

et un lapin habillé.

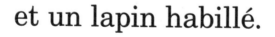

Je cherche

un banc, 

un camion
de pompiers,

un peintre
sans pinceau, 

un autobus
scolaire,

le nombre 25 

et un canard
sur un bateau.

Je cherche  une bouteille,

un homme debout,

 un cube orné d'un 2

et un chat avec un
ruban autour du cou.

Je cherche deux mots identiques.

 un clown en bois

un clown souriant

une bouteille

Je cherche deux mots identiques.

un petit chat

 un autobus
scolaire

un chat avec
un ruban autour
du cou

Je cherche deux mots qui riment.

une planche à roulettes

un éléphant

un squelette

Je cherche deux mots qui commencent par un P.

une pelle

un soulier
en cuir

une petite girafe
tachetée

Je cherche deux mots qui commencent par un C.

un cadenas

 une brosse

un cube

Je cherche deux mots qui contiennent les lettres QUE.

la queue d'un
scorpion

un élastique

la langue
d'un lézard

Je cherche deux mots qui contiennent deux lettres C chacun.

 un colimaçon

une clochette

 un crabe

Je cherche deux mots qui riment.

un œuf

un rat
sournois

un clown
en bois